FORMA E COLORE
I GRANDI CICLI DELL'ARTE

Mantegna: la Camera degli Sposi
di Margherita Lenzini Moriondo

Sadea/Sansoni Editori

Mantova, serena ed austera nella quiete solenne della verde pianura che la circonda, fu la città che accogliendo il Mantegna in veste di pittore ufficiale della Corte dei Gonzaga era destinata a conservare l'opera che rappresenta la fase più alta della sua attività.

La data che segna l'arrivo dell'artista è preceduta da un periodo assai lungo di esitazioni, dei Gonzaga prima — incerti se eleggere il Mantegna o Michele Pannonio — e dello stesso Mantegna poi, trattenuto altrove da impegni di lavoro e da incertezze di natura psicologica. Infatti, indotto in un primo tempo ad accettare, forse temendo il prolungarsi dell'epidemia di peste manifestatasi in Padova fin dal 1456, comincia poi a dilazionare la partenza. I lavori avviati, gli impegni assunti con importanti committenti e non ancora portati a termine, furono certamente i pretesti di cui il Mantegna si valse per poter maturare la sua decisione: doveva soprattutto trattenerlo il pensiero di un asservimento che avrebbe potuto includere fra i suoi compiti, oltre l'esecuzione delle opere di pittura a cui volentieri legava il suo nome, anche un trito attendere a modesti lavori più che tutto artigianali — bizzarrie teatrali, scenografie, costumi per mascherate, cose decorative in genere — che solo le vaste possibilità di un Signore potevano far affidare ad un artista di tanto nome. Sembra tuttavia che la discrezione e la saggezza di Ludovico Gonzaga fossero tali da evitargli al massimo tali incombenze, così come risulta che lasciasse all'artista ampia libertà di lavorare anche per altri committenti.

Tutto questo è documentato da un ampio carteggio che ci consente di seguire le tappe delle trattative fra il marchese Ludovico ed il pittore. La prima lettera è del Gonzaga, che il 5 gennaio 1457 invita il Mantegna alla sua Corte, offrendogli titoli nobiliari, allettandolo con promesse di vantaggi anche materiali ai quali il pittore, che a Padova e altrove si era sempre dibattuto in strettezze finanziarie, non doveva certo restare indifferente.

« Ve avisamo — afferma il marchese — che la intentione nostra è di attenderve de bona voglia », e aggiunge che la provvigione sarà di quindici ducati al mese, impegnandosi a fornire al pittore anche una casa « dove habellamente possiate habitare cum la famiglia vostra », oltre al « frumento ogni anno che sia sufficiente a farve le spese acunciamente per sei boche et la ligna ve bisognarà per uso vostro ». E non è tutto. Per evitare al Mantegna ogni disagio e dispendio, il Gonzaga avverte che quando la data della partenza gli verrà comunicata, manderà « una navetta... per levarvi cum la brigata vostra et condurvi qua, che non spenderete coelle del vostro ».

Solo nel 1458 il pittore si decide ad accettare l'offerta, ma chiede ancora tempo per poter finire la pala di San Zeno di Verona, commessagli dall'umanista Gregorio Correr il quale fu, quasi certamente, l'intermediario fra il Mantegna ed i Gonzaga. Questi, che fin dal 1328 si erano impadroniti del potere in Mantova, avevano dimostrato sempre particolare interesse per le arti e la letteratura, proteggendo poeti ed artisti, a gara con le Corti vicine. Era stato del resto merito di Gianfran-cesco fondare quello ' studio ', divenuto ben presto Università, e di aver saputo scegliere quale educatore dei propri figli quel Vittorino da Feltre la cui scuola fu di esempio a tutta l'Italia. Anche Gregorio Correr ne era stato allievo, ed è pertanto facile pensare a lui quale naturale trait-d'union fra le due parti.

Tuttavia le ambascerie e le sollecitazioni continueranno ancora fino a tutto il '59, con estrema pazienza del marchese Ludovico il quale forse sperava di poter approfittare dell'opera del Mantegna in occasione della Dieta che si tenne in Mantova dal maggio del 1459 al febbraio del '60, indetta ed inaugurata da Pio XII Piccolomini per raccogliere le forze della cristianità contro l'infedele.

Per quanto manchi il conforto dei documenti per stabilire la data precisa del trasferimento del pittore, si può affermare che questo avvenisse sul finire del '59, e che le esitazioni di lui venissero vinte proprio da quel miraggio di una vita finalmente tranquilla, estranea tanto ai dissidi con lo Squarcione, quanto alle difficoltà che egli stesso si procurava per il suo carattere ombroso, che l'Aliprandi nel 1475 definisce « tanto molesto e rincrescevole che non è homo in vicino che possa pacificar con lui ».

Giunge dunque il Mantegna nella città lombarda con l'aureola di un nome ormai famoso, con un linguaggio pittorico quanto mai personale che la recente parentela coi Bellini — aveva nel '54 sposato Nicolosa, figlia di Jacopo e sorella di Gentile e di Giovanni — aveva arricchito di qualità cromatiche, attenuandone gli effetti plastici, mitigando il culto del mondo classico, a tutto vantaggio di un'interpretazione più immediatamente umana delle vicende storiche. Il che si manifesta anche nella scelta degli episodi che costituiscono il ciclo di Palazzo Ducale.

Il complesso degli edifici di cui tale palazzo si compone rappresenta e riassume la storia di Mantova dalla fine del XIII secolo, quando Guido Bonaccolsi ne assunse il potere, fino all'avvento dei Gonzaga, prima marchesi (dal 1403) e più tardi, dal 1530, duchi di Mantova, documentando l'ascesa e le vicende della loro signoria sulla città.

Il castello di San Giorgio, che è la parte più recente di tale complesso, fu fatto erigere appunto da Francesco Gonzaga sullo scorcio del XIV secolo; ma già a metà del Quattrocento l'edificio risultava del tutto modificato ad opera di tutta una schiera di artisti fatti confluire a Mantova da ogni parte d'Italia. Leon Battista Alberti, ed insieme e in dipendenza da lui Luciano Laurana e Luca Fancelli, per dir solo degli architetti, hanno lasciato ovunque tracce nel castello operando ciascuno per proprio conto, sì che si è andato perdendo ogni carattere d'assieme, mentre la planimetria risulta complicata come d'un labirinto, con passaggi, vani, stanze fra piccole e grandi in numero di diverse centinaia, e singolarità dovute all'estro degli architetti o al capriccio dei Signori, com'è quella rampa elicoidale per cui si poteva giungere, a cavallo, fino alla soglia della « camera picta ».

Questa stanza, le cui pareti misurano sì e no otto metri di lunghezza e meno di sette in altezza, è più nota con la denominazione di Camera degli Sposi che le dette il Ridolfi nel 1648 sull'eco della tradizione popolare che aveva appuntato l'interesse sulle figure di Ludovico Gonzaga e della moglie, Barbara di Bandeburgo. La « Camera » fu in realtà luogo di rappresentanza in cui si ricevevano personalità di riguardo, che talvolta serviva anche da sala da pranzo, e dove erano esposte alcune fra le opere d'arte più preziose dei Gonzaga. Le antiche carte d'archivio la ricordano comunque unicamente come « camera picta ».

Solo due pareti sono dipinte; le altre due dovevano essere addobbate con preziosi tendaggi di cuoio di Cordova impresso in oro e foderati d'azzurro, uguali o simili a quelli simulati alle spalle di Ludovico Gonzaga ed in altri episodi del ciclo. La tecnica usata dal Mantegna, ritenuta un normale affresco, è invece risultata essere in parte una tempera di tipo non ben precisato, « rivolta — secondo Giovanni Paccagnini — ad imitare la tecnica dell'antica pittura romana »; ipotesi quanto mai suggestiva nel caso del maestro padovano, tanto infatuato del mondo classico da trasferirsi romanticamente in esso, come ci riferisce l'antiquario veronese Felice Feliciano in una relazione manoscritta, in latino, conservata nella Biblioteca Capitolare di Treviso. Quivi, sotto la data « VIII KAL. OCT. 1464 » egli descrive una gita compiuta sul Garda assieme al Mantegna, al pittore Samuele da Tradate e a Giovanni Antenoreo architetto; con nomi fittizi e attributi consolari, coronati di lauro, suonando la cetra, traversarono il lago e sulla sponda opposta si dettero a ricercare cimeli archeologici e ad annotare le iscrizioni antiche. L'episodio che taluno (Tietze-Conrat) ha voluto considerare « romantica falsificazione » ha invece, collocato in quel clima culturale, tutti i crismi della vicenda vissuta, conservando il fascino di quel reale romanticismo classicizzante, proprio di quell'ambiente e particolarissimo del Mantegna.

A Padova, sede di Università e centro di studi umanistici, Andrea Mantegna era entrato, quasi fanciullo, nella bottega di Francesco Squarcione, pittore mediocre e confusionario, ma entusiasta raccoglitore di ' pezzi ' antichi; la mania antiquaria del maestro divenne, nello scolaro tanto più dotato e sensibile, culto dell'antichità. D'altra parte a Padova avevano operato nella prima metà del Quattrocento (fra il 1434 e il 1445) Filippo Lippi, Paolo Uccello, Donatello, lasciandovi messaggi per una interpretazione della classicità che, se pur tanto diversa da quella del Mantegna, tutta intesa a ' recuperare ' integralmente quel mondo, valse tuttavia a temperarne l'esaltazione plastica attraverso i rigidi canoni della prospettiva, indirizzandolo, quasi costringendolo — ma senza diminuirne affatto l'originalità — ad un equilibrio di valori pittorici, plastici e psicologici al quale concorsero tuttavia anche altre esperienze: un viaggio a Ferrara, presumibilmente nel 1449, dove vide gli affreschi ora perduti di Piero della Francesca nel Castello e in Sant'Andrea, ed ebbe contatti con Roger van der Weyden ospite degli Estensi; i rapporti già accennati coi Bellini in quella Venezia dove nel 1442 aveva operato anche Andrea del Castagno, le cui immagini ebbero un loro peso nella formazione di Andrea Mantegna al quale l'asprezza delle forme del fiorentino risultava certamente congeniale. Un viaggio in Toscana, dove nel '66 e nel '67 la sua presenza è documen-

La Camera degli Sposi con le pareti affrescate dal Mantegna.

tata a Firenze ed a Pisa, completò il bagaglio di impressioni, di nozioni tecniche e di cultura mettendolo in diretto contatto con i contemporanei d'avanguardia, dal Pollaiolo al Botticelli.

Chiunque di noi, dopo essersi a lungo aggirato per i vasti cortili, le innumerevoli stanze, le buie scale e scalette della massiccia e discontinua residenza dei Gonzaga, improvvisamente si trovi sulla soglia della « camera picta », resta sorpreso per il nuovo senso decorativo che il Mantegna vi esplica, in una serena e solenne contemplazione dell'uomo e della natura, e per l'umano contatto che immediatamente si crea con i personaggi che abitarono fra quelle mura, tristi più che lieti, brutti più che belli, alcuni saggi, altri intemperanti, alcuni, ma solo pochi, fortunati e felici. E se non è possibile sentirci proprio uno di loro per ragioni storiche, ci è tuttavia consentito partecipare a quella riunione di famiglia, raccolta in una loggia tutt'intorno aperta su un paesaggio immaginoso e tranquillo, contro un cielo azzurro e felice: lo stesso cielo che, alzando brevemente gli occhi, si apre sopra di noi nella volta, così profondo e luminoso da non sembrar dipinto, tanto è efficace l'illusione di spazio, di aria e di luce.

La critica non è tutta d'accordo sulla data di esecuzione delle singole parti del ciclo, ed incerta è anche l'interpretazione storica dei due episodi. Per quanto riguarda la questione cronologica, taluno ha proposto il 1465 per la parete col ' ritratto di famiglia ' ed il 1472-'74 per l'altra parete e la volta. Altri ha ritenuto databile il complesso al secondo periodo, con riferimento però — per la prima scena — a fatti avvenuti un decennio avanti. Altri ancora son del parere che l'opera avesse inizio dalla volta e che le pareti fossero eseguite per ultime. Si sono notate differenze e discontinuità di esecuzione, si è fatto il vaglio dei numerosi restauri che l'ambiente ha subito, si sono controllati gli elementi storici, analizzati i dati fisionomici, scandagliate le fonti e gli archivi, ma senza poter eliminare alcune incertezze. Altrettanto difficile è risultato il significato degli episodi. « Ma se anche diverse possono essere le opinioni sul preciso significato episodico delle figurazioni... i ritratti potentemente individuati dal Mantegna hanno una così piena intensità di espressione che non possiamo più chiedere quale sia stato l'avvenimento occasionale che ha dato origine alla loro figurazione » (Paccagnini). Indipendentemente quindi da ogni possibile filo narrativo ci avviciniamo a questa piccola Corte in posa, un po' impacciata ma senza superbia, che si offre alla nostra curiosità. Ludovico Gonzaga, figlio di Gianfrancesco e di Paola Malatesta — colei che portò ai Gonzaga la mala eredità della scoliosi — nato nel 1414, ereditò nel 1444 la corona marchionale. Aveva sofferto nella sua giovinezza di un'acuta gelosia per il fratello minore Carlo, prestante nell'aspetto, d'intelligenza vivace, affabile, colto, quanto Ludovico era gracile, introverso, timido, anche se di altrettanta cultura perché educato con gli altri fratelli da quel saggio che fu Vittorino da Feltre. A questo suo complesso reagì, prima dell'avvento al potere, gettandosi nella vita militare, in una sfida a denti stretti alla propria resistenza fisica e all'opinione degli altri. Ma ogni intemperanza si calmò quando, dopo la morte del fratello, la carica di timori e di invidie che gli avevano suscitato gli istinti peggiori, rapidamente si esaurì: allora trovò serenità ed equilibrio, indirizzando con sicurezza la vita della sua famiglia e quella del marchesato, a cui giovò con provvedimenti liberali, con migliorie urbanistiche, estendendo la sua protezione alle istituzioni più valide, senza trascurare i propri interessi culturali a cui lo aveva iniziato

negli anni giovani il maestro. Ritratto qui sulla sessantina, seduto in posizione di privilegio di fronte alla sua Corte, ammantato di rosso, porta nel volto i segni delle difficoltà superate e del suo carattere deciso, tranquillo e calcolatore, tanto nella vita privata che in quella pubblica (figg. 1-2).

Accanto a lui seduta appena un po' più in basso, Barbara di Brandeburgo (fig. 3), la teutonica sposa figlia di Giovanni di Hohenzollern, venuta a Mantova ancora bambina ed educata, con i Gonzaga, alla scuola di Vittorino da Feltre. Le differenze di lingua, di origine, il peso delle diverse ereditarietà di famiglia e di razza, furono cancellate fra Barbara e Ludovico da quella comune educazione; e il matrimonio si poté considerare eccezionalmente ben riuscito per due individui tanto diversi, se il marchese poté delegare tranquillamente alla moglie ogni potere in sua assenza, nella famiglia come nello stato, sicuro che nessun errore e nessun abuso sarebbe stato fatto in suo nome. Mite ma decisa si presenta tutta chiusa nell'abito pesante di broccato, i capelli ancor biondi tirati sotto il velo bianco che scende sulla fronte: una fronte alta, senza rughe, in netto contrasto con la parte inferiore del volto di realistico modellato. Assorta e un po' triste nel ripensamento di una vita resa malinconica dalla preoccupazione costante per la malferma salute dei numerosi figli (alcuni morirono giovanissimi) essa volge gli occhi al marito, fiduciosa, attenta al breve colloquio di lui col segretario Marsilio Andreasi (fig. 2).

Il giovane dal volto pieno, le spalle ampie, il collo taurino che sta in piedi fra i due principi, è certamente uno dei loro figli. Evidente è la rassomiglianza con Barbara di Brandeburgo: gli occhi dal preciso arco sopracciliare, il naso grosso, il mento rotondo segnato al centro da un'infossatura ben marcata sono gli stessi nella madre e nel figlio. Nonostante qualche divergenza di opinione ci sembra assai probabile che si tratti del primogenito Federico che nel 1478 assumerà il potere divenendo terzo marchese di Mantova. Nato nel 1442 dovrebbe qui avere, come in effetti dimostra, una trentina d'anni. Ben s'addice, d'altronde, all'erede del marchesato, la posizione di privilegio fra il padre e la madre, il ricco abito damascato, l'atteggiamento di protezione nei confronti del fratello minore davanti a lui. Il suo regno sarà breve — dal '78 all' '84 — non segnato da particolari avvenimenti. E d'altra parte Federico, interessato più ai problemi della vita civile che non politica del marchesato, trascurò le cose di governo affidandone l'esercizio a ministri, plenipotenziari o quasi. Davanti a lui è il giovanissimo Ludovico, nato nel 1458: gracile, pallido, malinconico, creato di appena sei anni protonotario e coadiutore del vescovo di Mantova, destinato a divenire egli stesso vescovo della sua città. La testa è inclinata sull'esile collo, rasa sotto il berretto rosso; i lineamenti sono sottili, aderenti più alla fisionomia dei Gonzaga che non a quella degli Hohenzollern; lo sguardo è fisso verso il basso, come estraneo alla famiglia e all'importanza di quella riunione di personaggi sontuosamente vestiti. Fra i damaschi della madre e dei fratelli il suo abito semplicissimo, quasi da chierichetto, si vale di un tenue accostamento di bianco e azzurro per accentuare forse la già palese sensibilità di questo fanciullo che terrà corte in Gazzuolo e dividerà equamente i suoi interessi spirituali e terreni coltivando ad un tempo teologia, poesia, arte ed amori (fig. 3). Poco sotto a lui, quasi sommersa fra il ridondare delle vesti dei congiunti, ecco Paola, nata buon'ultima nel 1464. Anch'essa malaticcia, ci appare ancor più sgraziata per la pesantezza del mantello che le ricopre le spalle, forse per celarne pietosamente l'incipiente gibbosità. Il profilo così decisamente segnato non sembrerebbe di una bimba se non fosse per le dimensioni minori ed il solo gesto che si convenga alla sua età è quello di stringere nella mano, avidamente, un bel frutto. Gli occhi spalancati sono assorti ma non attenti, le guance scavate, la bocca semiaperta non per un improvviso infantile sorriso, ma come per difficoltà di respiro; ed i capelli appaiono sottili, inerti, senza lucentezza e senza vita. Il piccolo cerchio che cinge la testa ne accentua la pronunciata convessità. Teneramente amata, soprattutto dal padre, delicata, sensibile, colta, andò sposa appena quattordicenne all'ultimo conte di Gorizia ed ancor giovane finì i suoi giorni nel Castello di Linz dopo una breve esistenza segnata da tristezze e da delusioni (fig. 3).

Ben altro aspetto ha la sorella Barbara, fiorente, colorita, la piccola testa eretta sul collo alto e tornito, le spalle ben dritte sotto il corpetto di un broccato d'oro come i suoi capelli, trattenuti da un gioco di nastri. Avrà qui sedici anni e volerà ben presto oltr'Alpe per seguirvi il marito, Eberardo duca del Würtemberg. Sana, colta, felice, porterà un soffio di vita nuova nel lontano malinconico nord ed è in gran parte a lei che la Germania è debitrice del suo adeguarsi ai nuovi movimenti di pensiero che da quasi un secolo avevano rinnovato la vita intellettuale delle Corti italiane (fig. 4).

Un certo mistero aleggia sulle altre figure. Il giovane alle spalle di Barbara di Brandeburgo potrebbe essere il quartogenito Rodolfo, buon soldato ma impetuoso e intemperante, che troverà morte violenta nel 1495 sul campo di battaglia (fig. 3).

La nobile testa di vecchio che si inserisce fra quelle di Federico e del presunto Rodolfo, di aspetto estremamente dignitoso nella severità dell'abito scuro, può appartenere ugualmente al matematico Bartolommeo Manfredi o a Francesco Bevilacqua — successore di Vittorino da Feltre nel presiedere all'educazione dei figli del marchese — ambedue stimatissimi nella famiglia Gonzaga (fig. 3).

E c'è poi una figura che s'impone alla nostra attenzione e alla nostra memoria, indipendentemente da ogni interesse storico o biografico. Non ha infatti alcun nome, è solo la Nana che il Mantegna si indugia a descrivere veristicamente, insistendo sui caratteri grotteschi di quel piccolo corpo pietosamente difforme collocato proprio ai piedi di quella Barbara che è la più bella fra tutti. La parata si chiude all'estrema destra con un giovane aitante, di espressione altera, forse un parente d'alto rango di casa Würtemberg o degli Hohenzollern (fig. 5).

Fa da sfondo una preziosa balaustra, intarsiata a motivi geometrici in un gioco di marmi colorati e rari, oltre la quale spuntano rami fioriti contro un cielo azzurro, lasciandoci indovinare un giardino ridente e tranquillo, un ' orto ' alla fiorentina.

Accanto all'ordinata compostezza del ' ritratto ', oltre il pilastro che sembra sorreggere uno dei peducci della volta, la scena diviene più animata: altri personaggi si muovono sulla breve scala d'accesso in una sequenza ordinata di azioni che ha certamente un significato, an-

Particolare della targa dedicatoria.

che se tuttavia a noi sfugge; arbitrarie risultano infatti tutte le interpretazioni proposte. A noi basta rilevare come, ad onta di ogni mancata storica risultanza, i due episodi siano armonicamente collegati nel complesso decorativo. Il che ci garantisce di un nesso storico reale. E poiché in tutta la composizione il solo personaggio che risulta mancante è Francesco, il secondogenito dei Gonzaga elevato alla porpora da Pio XII, si può ragionevolmente pensare che l'aria di attesa della Corte e il tramestio dei famigli sia dovuto a qualcosa che lo concerne. E senza stare a complicar le cose trasferendo l'episodio al 1461, allorché Francesco fu fatto cardinale — il che dovrebbe costringere il Mantegna a dipingere su ricordi di almeno un decennio prima, — ci sembra più facile e logico collocare il fatto nel 1472, anno in cui Francesco si recò in visita solenne alla città natale per dar l'avvio alla costruzione della basilica di Sant'Andrea, il cui disegno era stato dato da Leon Battista Alberti. Durante l'estate di quell'anno — le fonti ce lo attestano — il cardinal Gonzaga trascorreva un periodo di cura alle terme di Porretta. Qui aveva fatto venire il Mantegna per suo diletto, e mentre il prelato era immerso nel bagno curativo, per evitargli un pericoloso assopimento il pittore lo intratteneva ragionando di cose antiche, trovando così anche buon alimento alla propria passione per l'archeologia in quello che il cardinale gli riferiva sui monumenti e le vestigia della Città Eterna.

Ed ecco in aperta ariosa campagna il marchese Ludovico con alcuni dei figli e dei cortigiani farsi incontro al figlio porporato che, consapevole della propria dignità e della propria importanza, sta, quasi al centro della scena, corpulento, monumentale, chiaramente pletorico sì da giustificare l'improvvisa morte, nel 1483, per apoplessia (figg. 8-13). Di natura esuberante, sensuale quel tanto che i tempi concedevano, fingendo d'ignorarlo, anche agli uomini di chiesa, ma ardente cultore delle lettere e delle arti, onore e vanto di tutta la famiglia, il cardinal Francesco è qui oggetto d'ossequio anche da parte del padre che gli è a fronte: appena sceso dal cavallone bianco che lo attende bardato a festa, assieme agli splendidi cani, nello scomparto a sinistra della porta, Ludovico sta qui eretto sulle rigide gambe calzate di bianco, la corta spada appesa alla cintura, vestito d'un corsetto damascato a fitte pieghe. Fra Ludovico e il cardinale un profilo di giovane in cui si è soliti riconoscere Gianfrancesco, terzo figlio dei Gonzaga; mentre l'erede del marchesato, Federico, è all'estrema destra, ripetendo, in versione di profilo, i lineamenti descritti nel ritratto della Corte. Fra i più giovani riconosciamo ancora Ludovico, un po' cresciuto, ma sempre gracile, leggermente curvo, tenuto per mano dal fratello porporato, mentre l'altra mano è indolentemente abbandonata al trastullo del piccolo Sigismondo, figlio di Federico anch'esso destinato alla porpora. L'altro fanciullo dalla fronte pronunciata è quel Francesco primogenito di Federico, futuro quarto marchese di Mantova e sposo di quella Isabella d'Este che sarà la donna più famosa del suo tempo (fig. 12). Infine, accanto a Federico un po' discosto e un po' in ombra, l'altro grande protagonista del ciclo: il Mantegna in persona, in sobria tenuta di color violaceo, aggrottato, scontroso, solitario, proprio come le carte d'archivio ce lo descrivono (fig. 13). Ma anche deciso, lavoratore, intimamente buono se i Gonzaga tanto lo tennero caro. Del resto la natura affettiva dei rapporti fra il pittore ed i marchesi di Mantova sono ben chiariti dall'epigrafe latina che conclude la fatica dell'artista: « All'illustre Ludovico secondo marchese di Mantova, principe ottimo e d'invitta fede, e all'illustre Barbara sua

sposa, gloria incomparabile delle donne, il loro Andrea Mantegna padovano compì a loro onore questa modesta opera, l'anno 1474 ».

Questa seconda parete, superato l'interesse per le persone e la curiosità per i fatti ad esse collegati, ci attrae anche per la romantica poesia dei paesaggi. Nella scena con l'Incontro, oltre il frondoso albero di pierfrancescana memoria, monti e colline si estendono in lontananze profonde, e si abbelliscono al centro coi simulacri di quella Roma lungamente sognata e non ancora vista, avvolti in un silenzio di città sacra e dissepolta (fig. 8). Sui costoni del monte piccole figurine bianche si muovono brulicando, in un lavoro affannoso, analoghe a quelle nello sfondo della Madonna delle cave agli Uffizi. Lo stesso fascino emana dall'affresco coi palafranieri (figg. 14-21), dove il paesaggio è ancor più fantasioso per l'invenzione di rocce scoscese su cui torreggiano città fortificate (fig. 16), dove massicce mura e ardue impalcature si ergono contro il cielo (fig. 18), mentre inaspettato, fra monte e monte, si apre uno spiraglio su un paesaggio lontano (fig. 17).

La loggia aperta al cui centro ci siam posti, spettatori solitari e privilegiati di storici avvenimenti, è sormontata da una volta in cui il Mantegna ha attuato una felice combinazione di motivi culturali e fantastici in una decorazione preziosa e complessa a cui variamente potranno attingere i più grandi maestri del Cinquecento: Melozzo e Bramante, Correggio e Paolo Veronese. Lo stesso Michelangiolo potrebbe essersene ricordato nella scansione pittorico-architettonica della Sistina. Di nuovo torna il gusto per l'antichità negli ampi lacunari e nei pennacchi di raccordo dove, in un'abilissima finzione di rilievo, sono rappresentati otto imperatori romani e vari episodi del mito di Orfeo, di Arione, di Ercole, a monocromo su fondo che simula un mosaico d'oro. Il tutto arricchito da ghirlande, festoni, fiori, nastri, putti, con riferimenti diretti all'arte etrusca e romana.

Ma dove il genio inventivo di Andrea Mantegna si esplica in tutta la sua originalità è in quell'apertura al centro della volta su cui convergono i singoli elementi architettonici, simulati e reali, di tutto l'ambiente: luce diurna, la stessa che nel porticato illumina la Corte dei Gonzaga e l'Incontro col Cardinale, piove dall'alto, facendosi largo fra le teste ridenti che si affacciano alla balaustra. Attorno a questa le masse sono liberamente disposte con arditezze prospettiche ancora ignote all'arte pittorica, in accostamenti cromatici che avranno fortuna nei secoli seguenti nelle più diverse scuole, addirittura fino a Manet. L'illusione di scorcio si accentua per la presenza di quei paffuti puttini — fratelli di quelli che sorreggono l'epigrafe dedicatoria (figg. 22-25) — dalle alucce vibranti, tese per regger l'equilibrio nelle posizioni più ardite e spericolate. Qualche testolina sporge addirittura dalle rotonde aperture della balconata le quali, schiacciandosi nel loro avvicinarsi al fondo dell'oculo, ne confermano la profondità prospettica e guidano l'occhio verso quel pezzo di cielo (figg. 26-30).

Nella solinga quiete della Corte dei Gonzaga, in un ambiente umanistico ma d'impronta familiare, alle dipendenze di un Signore che certamente non doveva far pesare la propria autorità, il Mantegna aveva trovato un nuovo equilibrio compositivo. Il grande ciclo, che è da considerare anche il tributo di riconoscenza del pittore ai suoi principi, traduce in termini di eroica ma attuale solennità gli aspetti di quella Corte, in una composizione di ampio respiro dove l'ispirazione poetica riesce a trasfigurare ogni elemento culturale in una più umana aderenza alla realtà e alla natura.

nota bibliografica

G. VASARI, *Le Vite* ecc., 1550; C. RIDOLFI, *Le meraviglie dell'arte*, Venezia, 1648; L. LANZI, *Storia pittorica d'Italia*, Bassano, 1789; A. BASCHET, *Recherches de documents d'art et d'histoire dans les Archives de Mantoue*, in « Gazette des Beaux Arts », XX, 1866; C. YRIARTE, *Andrea Mantegna*, Paris, 1901; P. KRISTELLER, *Andrea Mantegna*, London, 1901; M. CRUTTWELL, *Andrea Mantegna*, New York, 1901. F. KNAPP, *Andrea Mantegna*, Stuttgart, 1910; A. VENTURI, *Storia dell'arte italiana*, VII/3, 1914, pp. 80-262; G. FIOCCO, *L'arte di Andrea Mantegna*, Bologna, 1927, Venezia, 1959; B. BERENSON, *North Italian Painters*, Oxford, 1932; G. FIOCCO, *Mantegna*, Milano, 1937; M. BELLONCI, *Segreti dei Gonzaga*, Milano, 1947; L. COLETTI, *La pittura veneta del Quattrocento*, Novara, 1953; E. TIETZE-CONRAT, *Mantegna*, London-Firenze, 1955; R. CIPRIANI, *Tutta la Pittura di Andrea Mantegna*, Milano, 1956; G. PACCAGNINI, *Mantegna, La Camera degli Sposi*, Milano, 1957; L. COLETTI, E. CAMESASCA, *La Camera degli Sposi del Mantegna a Mantova*, Milano, 1959; G. PACCHIONI, *La Camera picta da Andrea Mantegna nel Castello di Mantova*, Milano, 1960; *Andrea Mantegna* (Catalogo della Mostra a cura di G. PACCAGNINI, e A. MEZZETTI), Venezia, 1961; G. PACCAGNINI, *Appunti sulla tecnica della « Camera picta » di Andrea Mantegna*, in « Scritti di Storia dell'arte in onore di Mario Salmi », II, Roma, 1962; G. PACCAGNINI, voce *Andrea Mantegna*, nell'Enciclopedia Universale dell'arte, VIII, Venezia-Roma, 1963.

didascalie

1 *La Corte dei Gonzaga. Il duca Ludovico, particolare.*

2 *La Corte dei Gonzaga. Ludovico Gonzaga a colloquio col segretario Marsilio Andreasi, particolare.*

3 *La Corte dei Gonzaga. Barbara di Brandeburgo moglie di Ludovico Gonzaga con i figli Ludovico e Paola (a sinistra), Rodolfo (?), e un cortigiano, particolare.*

4 *La Corte dei Gonzaga. Particolare di Barbara Gonzaga, figlia di Ludovico e di Barbara di Brandeburgo.*

5 *La Corte dei Gonzaga. Particolare del ritratto di un cortigiano.*

6 *La Corte dei Gonzaga. Particolare dei cortigiani che ricevono i messi del cardinale Francesco Gonzaga.*

7 *La Corte dei Gonzaga.*

8 *Incontro tra Ludovico Gonzaga e il figlio cardinale Francesco. Particolare del paesaggio.*

9 *Incontro tra Ludovico e Francesco Gonzaga.*

10 *Incontro tra Ludovico e Francesco Gonzaga. Particolare della testa di Ludovico.*

11 *Incontro tra Ludovico e Francesco Gonzaga. Particolare del cardinale Francesco.*

12 *Incontro tra Ludovico e Francesco Gonzaga. Particolare dei ritratti di Francesco e Sigismondo Gonzaga.*

13 *Incontro tra Ludovico e Francesco Gonzaga. Autoritratto del Mantegna, particolare.*

14 *I palafrenieri in attesa.*

15 *I palafrenieri in attesa. Particolare di un palafreniere.*

16 *I palafrenieri in attesa. Particolare del paesaggio.*

17 *I palafrenieri in attesa. Particolare del paesaggio.*

18 *I palafrenieri in attesa. Particolare del paesaggio.*

19 *I palafrenieri in attesa. Particolare dei cani.*

20 *I palafrenieri in attesa. Particolare di un cavallo e di un palafreniere.*

21 *I palafrenieri in attesa. Particolare dei servi con i cani.*

22 *Particolare dei putti che sorreggono l'epigrafe dedicatoria.*

23 *Particolare dei putti che sorreggono l'epigrafe dedicatoria.*

24 *Particolare dei putti che sorreggono l'epigrafe dedicatoria.*

25 *Particolare dei putti che sorreggono l'epigrafe dedicatoria.*

26 *Oculo della volta. Particolare di un putto.*

27 *Oculo della volta. Particolare di un putto.*

28 *Oculo della volta. Particolare di una testa femminile.*

29 *Oculo della volta. Particolare di una testa femminile.*

30 *L'oculo della volta.*

Servizio fotografico SCALA

1

2

4

5

11

3

14

15

16

17

18

24

25